米小圈上学记

加油！足球小将

三年级

北猫 著

四川少年儿童出版社

闪亮登场

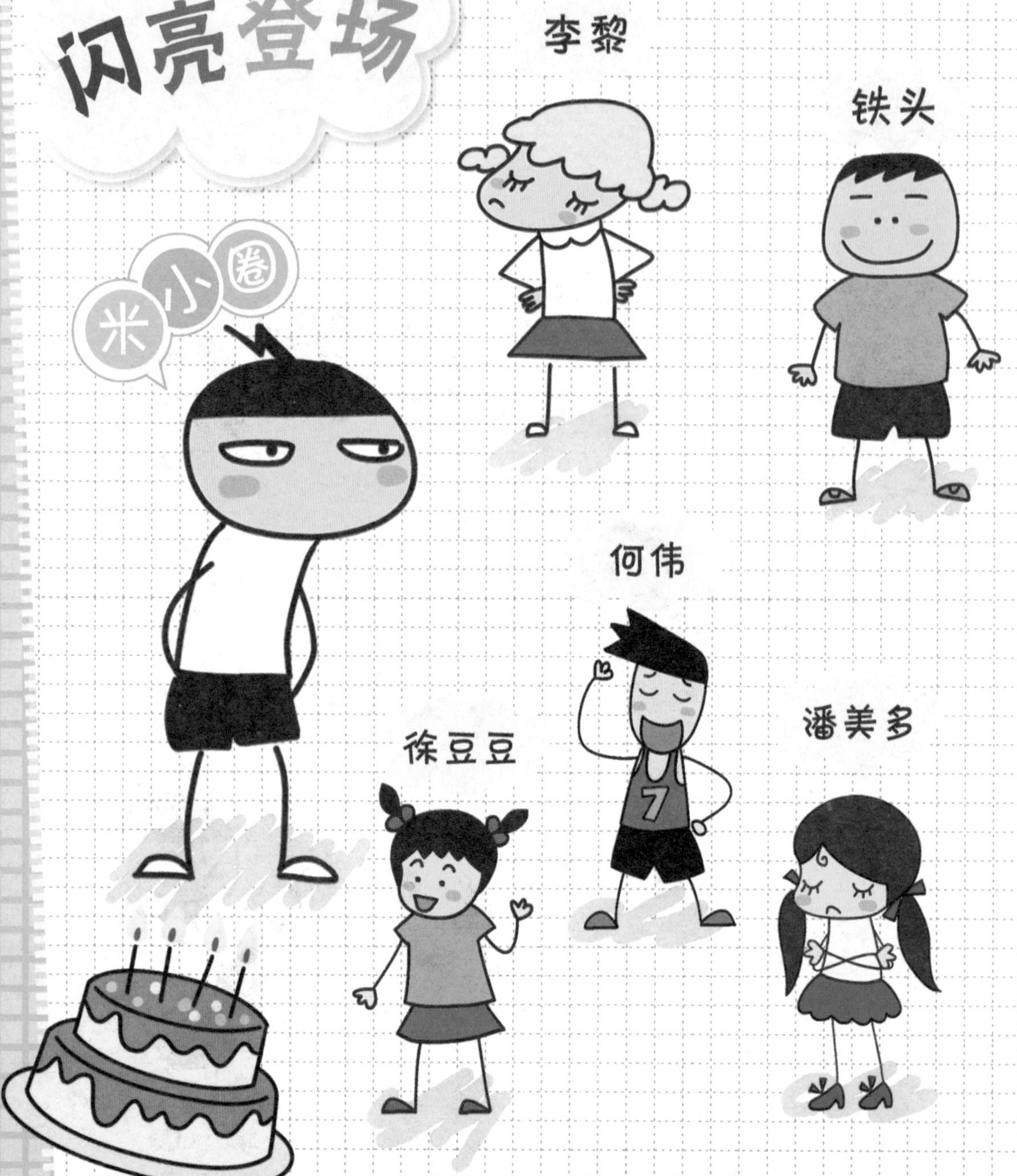

目录

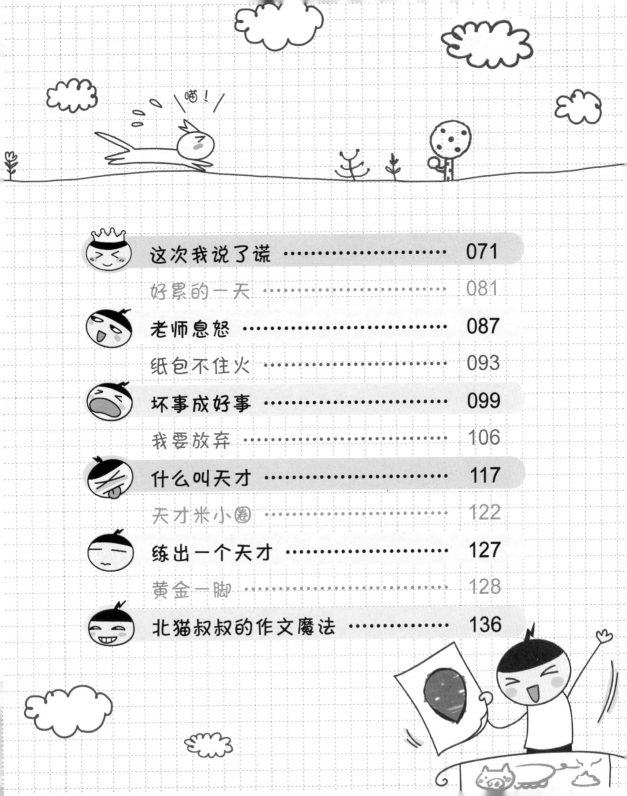

米小圈对你说

各位陪伴着我一起长大的小朋友，大家好。

告诉大家一个好消息，我米小圈已经上三年级了。顺便再告诉大家一个坏消息，我的个头儿却还是二年级的，呜呜。不知道为什么，我最近好像都没怎么长个儿。可是姜小牙和铁头他们却越长越高。

我怀疑我一辈子都不会再长高了。这件事让我足足苦恼了一个小时。

一个小时后，我又开心起来了。因为我觉得，就算我流了一夜的泪，第二天早上起来也不会因此而长高的，所以我为什么不开开心心的呢？况且这个世界上还有那么多好玩好吃的东西，电脑游戏、漫画书、冰激凌，还有足球。

我觉得吧，如果遇到坏事，你只苦恼一个小时，那么你还有一天的时间是快乐的。相反，你苦恼一整天，那么快乐的时间可能连一个小时都没有了。

我的好朋友们，你们觉得我说得有道理吗？

嘻嘻,其实根本没什么道理。

上了小学三年级,我才发现有一件事真的是可以苦恼一整天的。那就是写作文。

为了写好作文,被莫老师表扬一下,我找到了一位巨帅巨有才华的作家——北猫叔叔,向他请教。

(**北猫叔叔:夸得我好舒服。米小圈,算我没看错人,选你当男 1 号是无比正确的。**)

北猫叔叔告诉我,坚持写日记,把你观察到的、感受到的都积累在日记里,用不了多久,就可以写出精彩的作文啦。

原来写作文这么简单呀!本来我就喜欢写日记,如果能因此而写好作文,那我就真的可以开心一整天了。

好啦,我的朋友们,我米小圈写日记的时间又到了,不能再陪大家聊天了。

对了,你今天的日记写了吗?如果没写,快快和我一起动笔吧。886……

米小圈

足球伤人事件

5月12日 星期四

今天，老妈的心情特别好，穿上了她平时都不舍得穿的花裙子，在镜子前照来照去。

这到底是为什么呢？我猜今天一定是一个**非同寻常**的日子。

爱臭美的老妈。

老妈说："米小圈，你可真**聪明**，今天的确是一个节日。"

不可能吧！我记得5月1日是劳动节，5月4日是青年节，5月……我想起来了，今天一定是母亲节。

老妈马上纠正了我的错误："米小圈，我刚夸你聪明你就犯糊涂。每年5月的第二个星期日才是母亲节，今天是星期四，怎么可能是母亲节呢？"

"对呀！那今天是什么节日呢？"

老妈骄傲地说："今天是护士节呀，这你都不知道？"

护士节？我真搞不懂，老妈是一名医生，护士节又不是她的节日，有什么可高兴的呢？

老妈批评道："米小圈，做人不能太**自私**，医生和护士都是白衣天使，她们过节我当然也高兴呀。"

我明白了，教师节的时候，怪不得我们学校烧锅炉的金爷爷也很高兴呢。

哈哈哈哈，我儿子给我生了一个大胖孙子。

老师，节日快乐。

中午的时候，姜小牙**提议**去踢足球。

这个提议真是不错，我最喜欢踢足球了。铁头虽然并不喜欢踢球，他却是一位非常**有天赋**的守门员。尤其是他那又大又硬的脑袋，是最好的守门武器。

我决定和姜小牙比一比，看谁的脚能射穿铁头把守的球门。

姜小牙率先开始，他用尽全力把足球踢了出去。铁头飞快地向足球扑过去。铁头摸到了足球，可是姜小牙踢球的力量很大,足球从铁头的手上滑了出去,飞进球门。

　　姜小牙很是**得意**："呵呵，球进了！米小圈，轮到你了。"

　　哼！我米小圈是绝对不可以输给姜小牙的,看我的！

　　我将全部力量集中在了右脚，用力向足球踢去。不好！我用力过猛，不但没踢到足球，自己还**摔倒**了。

　　姜小牙和铁头笑趴在了地上。

　　铁头边笑边说："米小圈，你这招一定叫佛山无影脚。哈哈哈哈……"

　　"哼！这次不算！我还没准备好呢，我要再踢一次。"

　　铁头回到了球门前，再次当起了**守门员**。

　　我向后撤了几步，快速向足球跑去，用最大的力气向足球踢去。足球像子弹一样飞向铁头，哦不！足球像子弹一样飞向了正在走来的校长大人。不好！足球撞在**校长大人**的头上，他倒在地上，晕了过去。

　　我们赶快跑到校长大人身边。

　　我大叫道："校长，校长，你醒一醒……"

　　可是校长却一直没有醒过来。

　　很快老师们就赶到了，把**昏迷**的校长大人送进了医院。

　　姜小牙和铁头拍着我的肩膀说："米小圈，你转学吧。"

　　呜呜，我想，这次我死定了。

校长大人，你不能死呀，你要是死了，我就死定了。

我的出名日

5 月 13 日 星 期 五

今天绝对是一个黑色的星期五。

自从我用足球把校长大人踢到医院去以后，这件事就在学校里传开了。而且说什么的都有，**五花八门**。

有的人说："你们知道吗？把校长踢晕的学生叫米小圈。"

还有人说："有个叫米小圈的小孩儿跟校长有仇，于是他埋伏在校长下班的路上，用足球袭击了校长。"

更有人说："听说校长**脑淤血**，刚到医院就……呜呜……就死了。而凶手米小圈已经被抓走了。"

总之，说什么的都有。这次，我在学校是彻底出名了。

今天，我偷偷来到校长办公室门口，往里面看了看，发现校长真的没有来。不会真像大家**传言**的，校长大人出什么意外了吧？

可是铁头的大脑袋每天被足球击中无数次，他依然活得好好的呀。

我越想越害怕，不敢再往下想了。这时，一只手悄悄向我伸了过来，拍了我肩膀一下，吓了我一跳。

"哎呀！是谁？"我转头一看，原来是副校长。

副校长问道："小同学，你站在校长办公室门口是有什么事吗？"

我说："我，我就是想知道校长去哪儿了？"

副校长说："校长正在医院接受治疗，可能这段时间都没办法来学校了。"

"啊？这段时间都没办法来了？这么严重？"

"是呀，我听说可能要动手术。"

"动手术？"这次我真的死定了，我赶紧离开了。

吃晚饭的时候，我坐在餐桌旁，却一点儿胃口都没有。

老爸似乎看出了我的心事，问道："米小圈，你是不

校长大人，你一定要好起来呀，否则我米小圈就是千古罪人了。

是有什么不开心的事呀？"

　　我一下子就哭了，把我用足球踢伤校长的事讲给他们听。

　　我越哭越伤心："听说校长这几天要动手术，他要是死了，我不就完了吗？"

　　老爸一听也紧张起来，"啊！这可怎么办呀？怎么办？"

　　身为医生的老妈却很镇定："你俩都别急，应该没那么严重，明天我们一起去看望一下校长再说。"

果然很意外

5月14日 星期六

今天一大早，老爸老妈买了一个大大的水果篮，带着我去看望校长大人。

一路上，我都**闷闷不乐**，一直在为校长大人的病情担心。

老爸把我搂在怀里，说："米小圈，你不要担心，不管发生什么事，老爸都会跟你一起**承担**。况且你也不是故意的，你要勇敢去面对这件事。"

我的头靠在老爸的大肚皮上，我觉得非常温暖。老爸说的没错，不管怎样，该面对的总是要面对的。

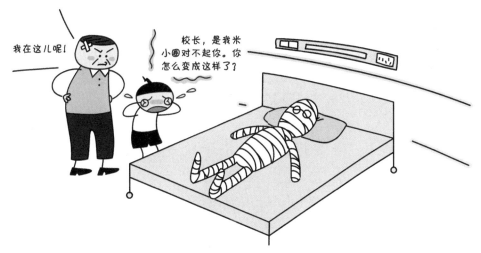

我们提着果篮，终于来到了医院。

校长大人昨晚已经动了手术。此刻，他正在**重症监护室**里躺着。

老妈前往诊室向医生询问病情去了。我和老爸站在监护室外，看着里面昏睡的校长大人。

这时，一位小叔叔走了过来。

小叔叔问道："你们是？"

我说："我是秋实小学的学生，是来看望校长的。"

小叔叔接过果篮，非常感动，他说："我替我爸爸谢

谢你，小同学，你是哪个班的？叫什么名字？"

原来这位小叔叔就是校长大人的儿子呀。我要是说出自己的名字，他一定会**大发雷霆**的。

老爸说："非常**抱歉**，我儿子就是踢足球伤了校长的米小圈。"

校长大人的儿子一听，马上大喊道："什么！你就是踢伤我爸爸的小孩儿？"

完了，发火啦！我赶快躲在爸爸的身后，万一他要打我怎么办呀？

你就是米小圈，我要替我爸爸报仇。

我真的不是故意的呀！

校长大人的儿子向我冲了过来，老爸拦住了他。

老爸说："有话好好说，不许碰我的儿子。"

小叔叔不管那么多，一下子把我拽了过来，抱在怀里："你就是米小圈？你是我爸爸的**救命恩人**呀！太谢谢你了！"

我强烈地怀疑，被足球踢伤脑袋的不是校长大人，而是这位小叔叔。是我误伤了校长耶，怎么变成救命恩人了？

这时，老妈从诊室回来了，说明了这件事。

米小圈，你是我爸爸的救命恩人！

救命呀！

　　原来，校长大人最近一直觉得脑袋有点儿**不舒服**，但也没有想过去医院检查。正巧我的足球落在了他的脑袋上，把他送去了医院。医院的医生在给校长做检查时，发现他的脑袋里有一块**肿瘤**。幸好检查得及时，动了手术，否则小肿瘤变成大肿瘤，后果就不堪设想了。

　　小叔叔为了表示感谢，抱着我，在我脸上亲了一口："米小圈，谢谢你的脚，否则我就没有爸爸了。"

　　我推开了小叔叔，咱们都是男孩子，这么感谢就不必了吧。

　　据说，这次的手术非常成功，校长大人已经脱离了**危险**。虽然他现在仍然在昏睡，但是相信用不了多久，校长大人就可以回到我们身边了。

　　对了，校长大人在做手术前，还特意给我留了一张字条。

字条上写道：

把我踢到医院来的这位小同学，虽然我还没有看清你的长相就已经晕倒了，但我还是要感谢你，你让我的病得到了及时的治疗。

我猜你现在一定很难过，以为是你的一脚足球把我踢伤的。实际上并不是这样的，医生告诉我，如果我脑袋里的这个肿瘤再生长一个月，可能就没办法切除了。所以，你这一脚对我的生命来说是多么重要呀。

不管这次的手术能不能成功，我都要谢谢你这位足球小将。

如果我没有醒过来，请一定把这张字条交给他，否则他会难过一辈子的。

校长

太好了，有了这张字条，我就可以**洗刷冤情**了。明天我一定要让全班同学都看看这张字条。

不小的收获

5月16日 星期一

一天的时间，我米小圈就从罪人变成了救命恩人。真是太**不可思议**啦。

今天，我高高兴兴地来到学校。我刚走进教室，姜小牙和铁头就向我冲了过来。

姜小牙着急地说："米小圈，你怎么还敢来呀？"

"我为什么不敢来呀？"

铁头说："米小圈，我和姜小牙**商量**了一下，觉得你还是转学吧，校长大人是不会放过你的。"

对了！姜小牙和铁头还不知道我救了校长大人的事

呢。呵呵呵呵……我得逗一逗他们才行。

我装作很**难过**的样子，低着头一句话不说。

姜小牙拍着我的肩膀，说："米小圈，我们是三结义的好兄弟，就算你转学了我们依然是好兄弟。这套漫画书是我爸爸刚给我买的，我送给你了。"

我接过漫画书，**称赞**道："姜小牙你太够意思了，这套漫画书你确定要送给我吗？"

"当然要送给你啦！"

"不反悔了？"

"决不反悔。"

我回头看了看铁头，问："铁头，你的呢？"

铁头拍了拍自己的**胸脯**说："米小圈，我把我自己送给你。"

铁头这句话说得好恶心呀。

铁头接着说："我们是好兄弟，你转学了，我也跟着你转学。"

我说："铁头，你不用跟我转学了，还是请我吃一个冰激凌吧。"

铁头赶快跑到学校的小超市，给我买了一个最贵的冰激凌，8 元钱一个呢。

我边吃冰激凌边说："姜小牙、铁头，你们真是太够意思了。为了你们，我不**打算**转学了。"

"不转学了？那校长能放过你吗？"

这时，我拿出了校长写的亲笔信。姜小牙和铁头看完信，终于明白了。姜小牙**赶紧**跑过来抢漫画书。我当然不肯，是他自己说不反悔的。

铁头更狠，非要我把冰激凌吐出来还给他。铁头，你

把漫画书还给我。

把冰激凌给我吐出来。

傻不傻呀，我真吐出来，你敢要吗？

没多久，全班同学就都知道了我的**英勇事迹**。

铁头甚至在想，如果他每天都把足球踢到一个人的脑袋上，说不定他也能成为救命恩人呢。

魏老师来到教室，对同学们说："本来我今天是想安慰一下米小圈的，因为米小圈也不是故意踢伤校长的。但**因祸得福**，米小圈反而救了校长，这我就要批评一下米小圈了。"

魏老师这是什么逻辑呢？我救了校长怎么还要批评我呀？

魏老师批评道："米小圈，以后你踢足球的时候，要小心一点儿，看一看前面有没有人，没有人的时候再踢。就算足球踢不伤人，吓到人也不好呀。希望你吸取这次的教训。"

我发现，魏老师一天不批评我，她就不舒服。不过，魏老师说的也有道理。下次我小心就是了。

好玩的 "的地得"

5月18日 星期三

今天第一堂课是莫老师的语文课，姜小牙为了讨好莫老师，**特意**跑到她的办公室，帮莫老师把作文本抱了回来。

姜小牙，谢谢你啦。

老师，别客气。这都是我应该做的。

莫老师对姜小牙说："姜小牙，谢谢你啦。你可真是个好孩子。"

姜小牙挠了挠头，**美滋滋**地回到了他的座位。

莫老师打开一本作文本说："同学们，大家的作文越写越棒了，老师非常高兴。可是老师也发现一个问题，大家在写作文的时候，不太注意'的地得'的用法。特别是这篇作文，出现了很多'的地得'错误。姜小牙，你来读一读你的作文吧。"

哈哈哈哈……原来这篇作文是姜小牙写的呀。

我回头看了看姜小牙，他还**沉浸**在莫老师的表扬中呢，根本没听到莫老师在叫他。

"姜小牙！姜小牙？"莫老师向姜小牙走去。

姜小牙的同桌潘美多赶快推了推姜小牙，他这才反应过来。

莫老师批评道："姜小牙，你帮助老师拿作业本，这很好啊。不过，你的作文也要好好写，知道吗？"

"哦，老师，我知道了。"姜小牙赶快低下头。

姜小牙刚被表扬了一次，又被批评了。姜小牙好失望呀。

在莫老师的要求下，姜小牙走上讲台，把他的作文念了一遍。

一篇作文里**居然**出现了十几处"的地得"错误，怪不得莫老师要批评他呢。

同学们听着姜小牙的作文，都偷偷地笑了。

莫老师对大家说："同学们，都不要笑，可不是姜小牙一个人会犯这样的错误。那个笑得最欢的，对，就是你米小圈。你来说说，'的地得'应该怎么用？"

我米小圈可是**写作高手**，"的地得"怎么能难得住我呢。

我站了起来，说道："'的'后面跟的都是名词，如'我的太阳，可爱的花儿，谁的橡皮，清清的河水……''地'后面跟的都是表示动作的词，如'用力地踢，仔细地看，开心地笑……''得'前面多数是动词，后面跟的都是形容词，如'扫得真干净，笑得多甜啊……'"

莫老师很满意，表扬道："米小圈，真不错。你能用'的地得'造一个句吗？"

"当然没问题。有了！妈妈说：米小圈，咱们家的地得拖了。"

同学们听完，哈哈大笑起来。

莫老师却并没有笑："米小圈，不许**捣乱**，好好造一个句子。"

"哦，好吧。我家的地板脏了，我拿起拖布卖力地拖了起来，累得我直不起腰来。"

莫老师说："下面，我来教大家一个'的地得'的口诀。"

莫老师在黑板上写了一个口诀。同学们大声**朗读**起来。

"的地得"口诀

的地得，不一样，用法分别记心上，

美丽**的**鲜花送给敬爱**的**老师。

我不停**地**跑，铁头不停**地**追。

哎呀！我跑**得**太快了，撞**得**我眼冒金星。

左边白，右边勺，名词跟在后面跑，

美丽的花儿绽笑脸，青青的草儿弯下腰，

清清的河水向东流，蓝蓝的天上白云飘，

暖暖的风儿轻轻吹，绿绿的树叶把头摇，

小小的鱼儿水中游，红红的太阳当空照。

左边土，右边也，地字站在动词前，

认真地做操不马虎，专心地上课不大意，

大声地朗读不害羞，从容地走路不着急，

痛快地玩耍来放松，用心地思考解难题，

勤奋地学习要积极，辛勤地劳动花力气。

左边两人就是得，形容词前要用得，

兔子兔子跑得快，乌龟乌龟爬得慢，

青青竹子长得快，参天大树长得慢，

清晨锻炼起得早，加班加点睡得晚，

欢乐时光过得快，考试题目出得难。

米小圈考考你

　　嗨，小朋友们，大家好！我是米小圈，你会正确使用"的地得"吗？下面我就要考考你了。每道题10分，看看你能得多少分呢？

　　第一题：姜小牙发现了一个巨大（　　）宝藏。

　　第二题：铁头走过来，奇怪（　　）问。

　　第三题：看看哪边（　　）雪化（　　）快。

　　第四题：花儿渐渐（　　）开放了。

　　第五题：满天（　　）乌云，黑沉沉（　　）压下来。忽然一阵大风，吹（　　）树枝乱摆。

　　第六题：二爷爷伤心（　　）流着眼泪。

　　第七题：谁（　　）作文没有错别字，谁就写（　　）棒。

　　第八题：莫老师要求大家，有感情（　　）朗读课文。

　　第九题：莫老师笑容满面（　　）来到教室，唱起欢乐（　　）歌。

第十题：一次又一次（　）将美丽（　）鲜花抛向天空。

"米小圈考考你"答案：

第一题：的。第二题：地。第三题：的、得。第四题：地。第五题：的、地、得。第六题：地。第七题：的、得。第八题：地。第九题：地、的。第十题：地、的。

黄金右脚

5 月 23 日 星期一

　　今天，我收到了一个好消息，我们敬爱的校长大人的病情有了巨大的好转。刚动完手术那会儿，他连自己的儿子都不认识了。可是现在呢？他不光认识自己的儿子，连他的**救命恩人**米小圈都想起来了。

你是我的儿子吗？

爸爸，我在这儿呀！

体育课的时候，肌肉老师**特意**找到了我。

肌肉老师抱着一个足球，说："米小圈，听校长说你的脚很有力量，我倒是想见识见识。"

我抬起右脚，说道："没错，我的**黄金右脚**可是很厉害的。但刘老师，恐怕你是见不到我踢足球了。自从我踢足球伤人以后，我爸爸妈妈就不让我踢足球了。"

肌肉老师一听急了："你爸爸妈妈怎么能这样呢？万一你是一名足球天才，那不是被埋没了吗？"

"谁让我的脚力太大了呢，总是误伤别人。"

"米小圈，你知道吗？校长大人病情好转以后，特意给我打了一个电话，夸奖你的脚力十足，要我测试你一下。说不定我还会**邀请**你加入学校足球队呢。"

"什么？可以加入学校的足球队？"

"是呀！咱们学校的足球队可是很厉害的呀。很多同学都想加入，可是我根本不给他们这个机会。"

米小圈，好帅呀。

"好吧，那我就踢一次。不过，您可要小心呀，我的脚可是很**厉害**的。"

我和肌肉老师来到了足球场。我想起了魏老师的话。我向四周看了看，没有人，这才放心地踢了起来。

肌肉老师站在球门前守门，我站在球门不远处。

"米小圈，来！射门让我看看。"

"老师，你可要小心呀！"

"别**废话**了，快使用你的黄金右脚吧。"

说时迟那时快，我用力将球踢了出去。哎呀！不好，踢高了，足球飞过了球门的横梁。

肌肉老师批评道："米小圈，我平时是怎么教你的。注意你的脚法，光有**力**量有什么用。"

"哦，明白了。"我捡回了足球，大力向足球踢去。这次踢得不错，足球向球门的远角飞去，肌肉老师向足球扑去。哎呀！足球撞到了门柱。哎呀！肌肉老师的脑袋也撞到了门柱上。

肌肉老师的脑袋起了一个大包。我就说嘛，我一踢足球就伤人吧。肌肉老师**揉揉**脑袋，说这次不怨我，是

肌肉老师，小心呀！

他自己不小心。让我再踢一次。

好吧！这次我用了最大的力气，拼尽全力将足球踢了出去。肌肉老师正在揉自己脑袋上的**大红包**，这时足球飞了过来，肌肉老师还没反应过来，足球就撞到了他的脑袋上。

只听见"哎呀！"一声，肌肉老师被足球撞翻在地。完了！肌肉老师不会是也**晕倒**了吧。

我赶快向肌肉老师跑去。只见肌肉老师躺在地上，正在大笑。

"哈哈哈哈……我教了十年的足球,终于找到了一名足球天才。"肌肉老师跳了起来,指着我说,"这个天才就是你,米小圈!"

"什么?我是足球天才?肌肉老师不会是被足球撞傻了吧?"

肌肉老师站起来,拍着我的肩膀:"不,我很清醒!米小圈,我正式邀请你加入咱们学校的足球队。"

"啊?不会是真的吧?"

大失所望

5月24日 星期二

才一天的时间，全班同学就都知道我加入学校足球队了。嘻嘻，大家都很**羡慕**我。

特别是姜小牙，来到我面前，说："米小圈，你加入校足球队以后可千万别忘了我呀。你能不能跟肌肉老师说一声，让我也加入校足球队。我特想当足球明星。"

"这个嘛……当然没问题。"我**爽快**地答应了姜小牙的请求。

姜小牙乐得大牙都快掉下来了。

我接着说："不过，姜小牙，要看你的表现如何了。"

姜小牙明白我的意思了，马上从兜里掏出一块巧克力，咬掉了一大口，然后送给了我。

哼！姜小牙可真**抠门**，不过起码还有半块巧克力。我

开心地吃了起来。

铁头也非常想加入校队，不过他更想加入的是跳皮筋校队。可惜根本没有这样的校队，铁头有点儿**失望**。

放学回到家，我把肌肉老师邀请我加入学校足球队的事说给老爸老妈听。想不到老爸第一个站出来反对。

老爸说："米小圈，你忘了吗？你要成为的是一名画家，而且是**特别著名**的那种。"

"没忘啊，可是老爸，我觉得我在画画这方面真的没有什么天赋，人家李黎没学过画画都比我画得好。"

老爸又说："不可能！在你很小很小的时候，你可是在我的图纸上画过一个小圈的呀。"

"老爸啊，这只是**巧合**而已呀。我真的不是画画的材料。你就饶了我吧。"

我觉得吧，随便一个小孩儿尿床都能尿出个地图来。我只是画了一个小圈儿，有什么了不起呢？

老爸说："米小圈，还有一件事我从来没有告诉过你。你知道吗？在你很小很小的时候，有一次你**尿床**，居然尿出了一幅世界地图。"

啊？我听后差点儿晕倒。看着老爸得意的样子，我却更难过了。我要怎么说，老爸才能**理解**我呢？

这时，老妈说："米小圈，我觉得你老爸说的也不全对。尿个地图也不一定能成为画家呀。"

"没错！老妈说得对。"还是我的老妈最理解我。

老妈接着说："米小圈，你现在年龄还小，你应该把

主要的时间用在学习上。学习好了，长大以后无论做什么都会很**优秀**的。"

"我就想踢足球，成为足球明星。"

老妈又说："米小圈，老妈不是打击你，你看电视里的足球明星，都是又高又壮的。你这么矮小，怎么可能踢得过别人呢。"

呜呜，老妈，你这就是在打击我，我也不可能一辈子都不长个儿呀。看来老妈也不理解我。

最后，老爸提议，为了公平起见，关于我加入足球队的事，我们家采取**民主投票制**。

老爸说："不同意米小圈加入足球队的请举手。"

老爸老妈一下子把手举了起来。少数服从多数，米小圈不许加入足球队。

呜呜，老爸老妈，你们欺负小孩儿。

天才的代价

5月25日 星期三

今天一大早，我就来到教室，一个人<u>闷闷不乐</u>地坐在自己的座位上。

姜小牙走过来，问："米小圈，你啥时候帮我去跟肌肉老师说呀？"

我告诉姜小牙，父母根本不同意我加入学校的足球队。姜小牙很失望。

这时，我们班的搞笑大王何伟走了过来："米小圈，我觉得你不应该**放弃**。叔叔阿姨不理解你，你就更要证明给他们看，你是个足球天才。"

姜小牙说："何伟说得对！你要在他们面前**展示**一下你的天赋。"

放学后，我拿着足球，在我们家小区里踢了起来。这样老爸老妈下班的时候就可以看见我的球技了。说不定就会同意我加入足球队呢。

　　我正踢着足球，哪知我的表弟大牛也跑来跟我一起玩。好吧，就先让大牛见识一下我的球技。

　　我提议，我来运球，大牛来抢我的足球。

　　大牛很高兴："要是我抢到了足球，小圈哥，你得请我吃冰激凌。"

　　"没问题！如果你抢不到，你也要请我吃冰激凌。"嘻嘻，大牛是个小胖子，他怎么可能抢得到我的球呢。

　　我运球在大牛面前晃来晃去，大牛无论怎么抢都抢不到我的足球。

大牛急出了一头汗："小圈哥，怎么**抢球**都行吗？"

"当然！不过你怎么抢也不会抢到的。"

大牛一把将我推倒在地，把足球抢了过去。"小圈哥，我抢到了，请我吃冰激凌。"

大牛这家伙可真坏。

我生气地说："大牛，你**耍赖**，我不跟你玩了。"

大牛赶忙说："小圈哥，我错了还不行吗，不要不跟我玩。对了！小圈哥，玩抢球没意思，不如我们来玩射门吧。"

可是我们小区里也没有球门呀。

大牛搬来两块砖，分别放在地上。谁能把足球踢进两块砖的中间，谁就算进球。

这个主意不错。可是大牛把两块砖摆得很近，比他的大胖身体宽不了多少。

我每次射门都被他的大肚皮挡住。

大牛说："呵呵，小圈哥，你的踢球水平也很一般嘛，该我了。"

这次轮到我来守门了。大牛踢了一脚又一脚，但每次足球都能被我抓住。

大牛急了，使出了吃奶的力气，一脚将足球踢飞。

不好！足球向我身后的一栋楼飞去。只听见咔嚓一声，三楼一户人家的玻璃被球撞碎了。

我刚要向大牛发火，大牛就跑没影了。

我该不该也跑掉呢？我们老师说，做人要学会承担责任，改正错误就是好孩子。虽然我觉得老师说得很对，

但是我决定这次先跑掉，下次再听老师的话。

可是我刚要跑，居委会的张奶奶就赶到了，抓住了我，呜呜！

这时，老妈正好下班回来，看到了张奶奶抓我这一幕。

老妈边批评我边带着我来到三楼，我向人家**赔礼道歉**之后，老妈又赔了钱给人家。

晚上，老爸老妈一致决定，不仅不许我加入校足球队，连踢足球都不允许了。

呜呜，我的足球梦，就这样破灭了。

玻璃碎了，心也碎了

5月26日 星期四

今天一大早，我就来到大牛家。

大牛睡得正香，而且还说着梦话："小圈哥，加油！快踢呀！"

我在大牛的耳边喊道："你踢碎了玻璃，赔钱！"

大牛一下子吓醒了，大喊："不是我踢碎的，是小圈哥，是他踢碎的。"

大牛揉了揉眼睛，看见是我，呵呵地笑了起来："呵呵，好吧，是我踢碎的。"

我发现，大牛连做梦都说谎，这孩子真是没救了。

大牛边穿衣服边问："小圈哥，你昨天逃跑了吗？"

我难过地说："我要是跑了就好了！呜呜，被张奶奶抓住了。"

大牛笑得躺在床上起不来了。

"大牛，不要笑了，马上去我家，帮我**澄清**一下，告诉我妈妈玻璃是你踢碎的。"

"小圈哥，反正你都被批评了，就别让我再被**批评**一顿了。"

"大牛啊，你知道吗？就是因为你，我妈妈不让我加入足球队了。"

"真的？"

"当然！而且连足球都不让我踢了。你要是不帮我澄清，我就一辈子都不理你了。"

大牛，把你的自行车给我骑骑，否则我就不理你了。

好吧，你还是别理我了。

大牛最害怕的就是我不理他。他只好乖乖跟着我去了我们家。

大牛对我老妈说："大姨，昨天晚上的玻璃其实是我踢碎的，不关小圈哥的事，你就让他加入足球队吧。"

老妈看着大牛，微笑着说："大牛，是不是你小圈哥让你这么说的？"

大牛点着头："嗯！你怎么知道？"

老妈转头批评道："米小圈，你居然教大牛**说谎**。"

大牛赶快说："不是！不是！是小圈哥让我跟你说的，但确实是我把玻璃踢碎的。"

老妈说："好了，不管是谁踢的，以后米小圈都不可以踢球了。时间不早了，赶紧上学吧。"

呜呜，老妈，大牛这次真的没说谎呀。

我一路上都没有跟大牛说话，生着**闷气**来到了学校。

搞笑大王何伟正坐在桌子上给大家讲笑话。

小圈哥从来不说谎，否则天打雷劈。

何伟讲道："一天，儿子说：'爸爸，你只关心足球，一点儿都不关心我。'爸爸反驳道：'谁说的？'儿子问道：'那你知道我哪天过生日吗？'爸爸回答：'恒大足球队夺得亚冠的那天。'"

"哈哈哈哈……"教室里笑成一片。

可是我却觉得一点儿都不好笑。

何伟看到我来了，赶快走过来询问："米小圈，怎么样？昨天放学有没有向你爸妈展示你的足球天赋呀？"

我难过地说："有是有！都怪我表弟大牛，把邻居家

玻璃踢碎了，我被我老妈臭骂了一顿。"

"哈哈哈哈……"大家又笑了起来。

张爽边笑边说："我觉得米小圈这个笑话比何伟的好笑多了。"

语文课刚下课，肌肉老师就兴冲冲地找到了我。

肌肉老师从身后拿出一件球衣，上面印着数字"20"。

肌肉老师说："米小圈，你看！这是你的队服，从今天开始你就正式成为秋实小学足球队的队员了。哈哈哈哈……怎么样？很高兴是吧？"

我接过这件属于我的 20 号队服，摸了摸上面的数字。越摸心里越难过，眼泪都快流下来了。我多么想穿上它在足球场上为学校争光呀。

我难过地说："对不起，刘老师，我不能加入足球队了。"

"什么？你不加入了？"肌肉老师万万没想到，我会**拒绝**他。

我委屈地说："嗯，我爸爸妈妈不让我踢足球。"

肌肉老师有点儿生气："米小圈，你知道有多少同学想加入咱们学校的足球队吗？"

这时，姜小牙**凑过来**说："是呀，老师，我也想加入，

米小圈的名额给我吧。"

　　肌肉老师看了看姜小牙，冷冷地说了一句："姜小牙，你还是好好学习去吧。"

　　姜小牙**失望**地走开了。

　　肌肉老师又说："米小圈，我再给你一周的时间考虑一下，如果你真不想加入，我就把队服给别人了。"

　　姜小牙又凑上来，说："老师，给我吧，给我吧。"

　　肌肉老师没有回答，离开了教室。

天才的一脚

5 月 27 日　星期五

今天，姜小牙拿着一套漫画书**笑嘻嘻**地来到我面前："嘻嘻，米小圈，你考虑得怎么样了呀？"

"什么考虑得怎么样了？"

"就是加入足球队的事呀。"

"哦，我爸妈已经为我考虑好了。"

姜小牙赶忙问道："怎么样？"

"呜呜，不同意。"

"唉，真是太**遗憾**了，呵呵呵呵……"姜小牙装作很难过的样子，但我看见他好像笑了。

　　姜小牙啊，你这是在为我遗憾吗？你笑得大板牙都快掉到地上了。

　　姜小牙接着说："米小圈，这是我爸爸新给我买的漫画书，借给你了。"

　　我接过漫画书，有点儿**怀疑**地问："姜小牙，你今天对我怎么这么好呀？"

　　姜小牙挠挠头，不好意思地说："米小圈，既然你不能加入足球队，能不能跟肌肉老师说说，让我加入呗。"

　　我就说姜小牙没那么好心嘛！每次主动借给我漫画

书，都是有求于我。不过我们是好朋友，这个忙我米小圈还是要帮的。

我对姜小牙说："好吧，我帮你去说，但就是不知道肌肉老师同不同意呀。"

"只要你说，绝对没问题的。呵呵呵呵……就这么定了。"姜小牙乐呵呵地跑掉了。

这堂课正好是肌肉老师的体育课。

我来到肌肉老师面前，说："刘老师，有件事我想跟你说。"

嗯，不错！

老师，我向你推荐我们班的"钻石右脚"姜小牙。

　　肌肉老师一看见我，马上乐呵呵地问："怎么样？你是不是做通你父母的工作了？"

　　这次我又要让肌肉老师失望了，我说道："那倒不是，刘老师，能不能把我的资格让给姜小牙呀，他可是我们班的钻石右脚呀。"

　　肌肉老师大失所望："米小圈，你以为我是这么随便的人吗？你知道吗？咱们学校的足球队只收高年级的学生。我是看你有天赋，才破格录取的。哼！不加入算了。"

　　肌肉老师吹响了集合的哨子，没好气地喊道："同学们，集合。"

　　大家从四面八方跑来，迅速站成两排。

　　姜小牙偷偷问我："米小圈，怎么样？"

　　我惭愧地回答："老师不同意。"

　　姜小牙显然很失望。

　　肌肉老师拿来一个足球，说道："这堂课我们来一场

足球赛。"

啊？又要踢足球呀？可是我已经**答应**老妈不踢足球了呀。

肌肉老师继续说："第一组和第二组的男生一队，第三组和第四组的男生一队。女生当啦啦队。开始比赛。"

我站在足球场上，一动不动。这时，一个足球飞了过来，打到我的脑袋上。

从啦啦队里传来了一片笑声。

肌肉老师喊道："米小圈，还愣着干什么？比赛开始了！"

车驰走过来说："米小圈，你想什么呢？"

我问道："我，我不踢行不行？"

车驰说："当然不行。为了我们第一组和第二组的**荣誉**，你一定要踢。"

这时，李黎向我做了一个鬼脸，喊道："米小圈，你到底会不会踢呀？"

徐豆豆说："米小圈，你不要给我这个同桌丢人呀！"

哼！**可恶**的旧同桌李黎，还有可恶的同桌徐豆豆。

这时，足球又向我飞了过来，我生气地一脚把球踢了出去。

这时有人喊道："进了！进球了！"

第一组和第二组的队员向我跑过来，抱住了我。

"米小圈，你太棒了，你是足球天才！"

啊？什么？球进了？我都没看球门，站在后场一脚就把球踢进了。我都不敢相信自己的眼睛。

肌肉老师走过来，**激动**地说："米小圈，你太棒了！相信我的眼光，你绝对是名足球天才。"

我说："老师，我刚才那个球是蒙的，我都没看球门。"

肌肉老师更激动了："没错！这就更说明你是天才了。我再问你一遍，你到底加不加入足球队啊？算老师求你了，你就加入吧，好不好？"

这是我第一次看见肌肉老师求人加入足球队，**莫非**我真是传说中的足球天才？

足球与学习

5月28日 星期六

昨天晚饭的时候，我把**班级足球赛**的事讲给老爸老妈听。

我刚一说，老妈就发火了："米小圈，不是说不让你踢球了吗？"

我解释道："肌肉老师让我们全班男生都得踢球，我也不敢不踢呀。"

"哦，是这样呀，老妈**错怪**你了。我儿子米小圈最乖了。"

老爸问道："对了，最后谁赢了？"

不踢球就不许上体育课。

嘻嘻，我回家就这么跟我妈妈说。

我回答："当然是我们赢了。当时比分被追平了，我在后场用力踢了一脚，居然踢进了球门。然后我们就赢了。"

老爸夸奖道："米小圈，真棒！很有我年轻时候的**风采**。"

我问道："老爸，你上学时候也踢足球？"

老爸开始吹牛了："那当然，我上大学那会儿，在学校踢足球，那也是叱咤风云的人物啊，当时有好多女孩儿都很**崇拜**我。"

老妈突然发怒了，把筷子重重地拍在餐桌上："米博

文，你怎么从来没说过这件事。老实交代，现在跟那些女孩儿还有没有联系？"

呵呵呵呵……老爸为**吹牛**付出了代价。

我不能理解，为什么老爸也喜欢踢足球却不让我踢球呢？

老爸说："米小圈，不是不让你踢球，我们只是不想让你把时间都**浪费**在踢足球上，你们小学生最重要的任务是好好学习。"

我纳闷地说："老爸，你上大学从来都不学习吗？"

老妈说："没错！你爸爸就是一个很好的**反面教材**。如果他上大学那会儿不踢足球好好学习，就不会只是当一名建筑绘图员了。"

老爸不同意老妈的看法："我觉得你说得不对，我们班学习委员天天就知道学习，现在还没我混得好呢。"

我赶快说："老妈，你看！所以说，踢足球也不一定会影响**前途**呀。"

这时，老妈瞪了老爸一眼，老爸知道自己说错话了。

老爸赶快改口说："你老妈说的没错！知识改变命运，米小圈你吃完了吗？吃完了快去学习。"

我终于明白我们小孩儿为什么希望自己马上长大了。因为长大了就不会有人管我们了。

老爸偷偷跟我说："米小圈，谁说长大了就没人管你了。你现在还太小，有些事你不懂，等你长大结了婚，你就知道长大还不如不长大呢。"

呵呵呵呵……每天老爸都被老妈批评，我怎么会不懂呢？

今天下午，姜小牙给我打电话说他爸爸买了一台**新电脑**，要我去他家里玩。

太好了，又可以玩电脑游戏了。

我赶快穿上衣服出门，楼下几个邻居家的小孩儿正在踢足球。

"米小圈，我们一起踢足球，怎么样？"

我真想玩一会儿，可是这里太**危险**了，我妈妈在楼上就可以看到。算了，还是去姜小牙家玩电脑游戏比较安全。

"不行，我老妈不让我踢足球。我得走了。"我**拒绝**了他们，向姜小牙家跑去。

我来到姜小牙家。

姜小牙问道："米小圈，你妈妈还不同意你踢足球呀？"

"是啊。"

姜小牙说："你可以在你妈妈看不见的地方踢呀。你看！"

姜小牙，你的脚可真臭。

你才臭呢。

姜小牙打开电脑，原来是足球游戏啊。好吧，既然不能踢足球，就拿足球游戏过过瘾。

我发现，我不光踢足球有**天赋**，连玩足球游戏都很有天赋。

我和姜小牙大战了三回合，他都输给了我。气得姜小牙把电脑关掉了，不让我玩了。

姜小牙，你可真够小气的。

这次我说了谎

5月30日 星期一

今天，我和大牛来到学校的时候发现肌肉老师正带着一群高年级的学生在练习足球。

他们一定就是学校足球队的。

我赶紧把大牛拽到一边："快躲起来，如果肌肉老师看见我，一定会问我**考虑**得怎么样了。"

大牛说："小圈哥，你真的不加入足球队了吗？"

我难过地说："我当然想加入，可我妈不让我参加，有什么办法呀。"

大牛说："我名侦探大牛有办法。"

"什么办法？"

大牛说："你可以偷偷地加入足球队呀，不告诉大姨不就行了。"

"这怎么行，一定会被发现的。"

"你练完足球，换一件**干净**的衣服再回家，不就行了吗？"

"大牛说得也对！老妈又没有长**千里眼**，我不说她怎么会知道呢？"

中午，我来到肌肉老师的办公室。

肌肉老师问道："米小圈，你考虑清楚了吗？"

我点点头："嗯，我考虑清楚了。"

肌肉老师**遗憾**地说："唉，既然这样，我也就不强求了。"

"不是，老师，我考虑清楚了，决定加入足球队。"

"什么？你说的是真的？"肌肉老师听到我同意加入足球队，高兴得跳了起来。

肌肉老师从**抽屉**里拿出了那件足球队服，对我说："我就知道你小子会加入的，一直给你留着呢。"

我接过这件**属于**我的队服，抱在怀里，心里别提多高兴了。

肌肉老师接着说："今天放学穿上它，来足球队报到吧。"

"是！"我拿着队服，高兴地回到了教室。

我刚把队服换上，同学们就围了过来。

我的同桌徐豆豆**崇拜**地看着我："哇！同桌,好帅呀。"

我自信地说："那当然，我也觉得我很帅。"

徐豆豆说："别误会，我说你的球衣好帅。"

"哦。"

姜小牙说："米小圈，你不训练时，能不能把队服借我穿穿？"

我拒绝了姜小牙："当然不行啊，我就这么一件，万一被你穿坏了呢？"

最后，我和姜小牙达成**协议**，我的队服每周借给他穿一天，他的漫画书每周借给我看一天。

等啊，盼啊，终于放学了。我穿着新队服向足球场冲去。

不一会儿，肌肉老师和其他队员也赶来了。

"下面我给大家介绍一下，我们新加入的队员。"肌

肉老师指着我，"他就是三年级五班的米小圈同学。"

肌肉老师刚**介绍**完，大家就笑了起来。

"呵呵呵呵……这个小个子也会踢足球？"

"哈哈……米小圈？我知道了，就是那个把校长踢到医院去的学生。"

肌肉老师接着说："大家不要小瞧米小圈，他的脚很有力量，我和校长都**体验**过他的黄金臭脚，不是！黄金右脚。"

肌肉老师越说，大家越笑。

讨厌！有什么好笑的。球王马拉多纳个子也不高呀。

肌肉老师说："好了，大家都别笑了。队长刘野，你出来一下。"

我一看，这位叫作刘野的同学我认识。还记得我们和高年级踢过一场足球，而且还赢了他们。对！其中就有他。

　　肌肉老师介绍完队长后，喊道："好了，队员们，开始热身吧。每人绕着球场跑 10 圈。"

　　"什么？要跑 10 圈？"我**惊讶**地喊了出来。

　　肌肉老师回答我："没错！身为一名足球运动员，必

须有充足的体力才行。好啦，开始吧。"

大家绕着球场一圈一圈地跑了起来，我只跑了三圈就没力气了。我虽然叫米小圈，可是我很讨厌绕着足球场跑圈。

跑了 10 圈的队员已经去练习足球了，只有我一个人绕着操场一点儿一点儿地跑。累死我了。

终于把 10 圈跑完了，我喘着粗气对肌肉老师说："老师，接下来，我可以踢足球了吧。"

肌肉老师看了看手表，说道："好了，时间到了，今天的训练就到这里，大家赶快回家吧。"

呜呜，这是什么破足球队呀。不如改名叫跑圈队。

我回到教室把队服换了下来，拖着疲惫的双腿回家了。

我刚一到家，老妈就冲了出来，"米小圈，你今天怎么这么晚才回来？"

"我，我……"

还没等我回答，老妈就问道："你不会是去踢足球了吧？"

我赶快说："绝对不会！我们老师说，还有一个月就考试了，以后每天要多上一节课。"

"哦，是这样呀。"

我换上**拖鞋**，准备吃饭。

这时，老妈叫住了我："等一等，是什么味道？"

老妈在空气中闻了闻，大声**训斥**老爸："米博文，你今天下班是不是又没洗脚？"

老爸委屈地说："怎么可能，我哪天不洗脚敢进屋呀？"

"奇怪！到底是哪里来的味道呢？"老妈继续在空气中闻着。

老爸也闻了闻，指着我的脚说："是米小圈的脚臭。"

不好！一定是今天跑圈时脚出汗了。

老妈喊道："米小圈，快去洗脚。"

我赶忙向卫生间跑去。

老爸在一旁得意："不愧是我的儿子，和我一样有一双**超级无敌**的汗脚。"

老妈批评道："没错，米小圈的缺点全是随的你。"

还好，老妈只是批评我的脚臭，并没有**深究**为什么我的脚突然变臭了。

还好，还好。

好累的一天

6月7日 星期二

一个星期就这样过去了，我在足球队过得并不开心。

人家高年级的球员每次训练都可以踢一场练习赛。

可肌肉老师不让我上场，每次训练除了绕着球场跑
10 圈，就是做各种**热身动作**。要不就是像傻子一样，在
场边看着。我终于知道我的球衣为什么是 20 号了，因为
球队一共就 20 个人，我是最后一名。

我们的队长刘野走到我面前对我说："小个子，我是
五年级才第一次上场比赛的。你慢慢看吧，学着点儿。"

五年级才能正式参加比赛？可是我才三年级呀，也

就是说我还要这样一年多的时间。我干脆退出球队算了。

我来到肌肉老师面前，生气地说："刘老师，我每天训练都要跑 10 圈，可是我连足球都没有碰到，这叫什么足球运动员呀。"

肌肉老师说："米小圈你知道吗？足球运动非常**耗费**体力，你如果跑不快或者跑不动了，你的竞技水平就会直线下降。"

我说："老师你看，我现在已经跑得很快了，好几个高年级的学生都跑不过我。"

肌肉老师说："所以说你小子是足球天才嘛。"

我问道："那我今天是不是可以练习射门了？"

"还是不行。体能关就算你过了，从今天开始练习运球。"

"太好了。只要不跑圈，让我干什么都行。"

肌肉老师一脚把足球踢出了足球场："米小圈，去把球运回来。"

我怀疑肌肉老师把我当成小狗了，扔一根骨头，让小狗去叼回来。

没办法，谁让他是教练呢。我只好跑出球场，用脚一点点把足球运了回来。

"刘老师，我把足球运回来了。"

"很好！"肌肉老师说着一脚又把足球踢了出去，这次比上一次踢得还要远。

"米小圈，再来。"

呜呜，这什么破教练呀，就会折腾人。

我又一次跑出球场。肌肉老师又踢，我又捡。肌肉老师还踢，我还捡。

我一共捡了二十几次，肌肉老师还要踢，我一下子把足球抢到自己脚下，不让肌肉老师再碰足球。

肌肉老师说："你踢得非常好！你终于明白我的意图了。"

我问道："什么叫踢得非常好呀？你什么也没教我呀。"

肌肉老师解释道："米小圈，你没发现你断我球的时候，速度很惊人吗？"

"那是因为我不想让你再把球踢出去了，我也不想当小狗了。"

肌肉老师呵呵地笑了，说了一句："特别好！"

我快被肌肉老师气死了。

回到家我都快累得趴在地上了，可是我又不敢让老妈看出我很累的样子。

我随便吃了点儿晚饭，就回到自己的房间，呼呼大睡起来。

老妈觉得我最近很**奇怪**，不光脚变臭了，精力也不如以前那么**旺盛**了。以前大半夜都不想睡觉，可是现在吃完饭就马上躺在床上了。

老妈呀，如果你们医院的院长每天都把你开的药方扔出去，让你**反复**捡 100 次，你就不觉得奇怪了。

老师息怒

6月8日 星期三

"不好啦，不好啦！我死定了。"今天我一进教室就大叫起来。

因为昨天我太困了，吃完饭就睡觉了，语文、数学、英语作业居然一个都没写。

铁头看了看表，说："米小圈，你现在还有 2 分 40 秒的时间写作业。2 分 40 秒，不！ 2 分 30 秒后，你的**死对头**李黎就会来收你的作业本。"

说时迟，那时快，我赶快拿出数学作业本，把徐豆豆的作业本也抢了过来，把她的作业抄到了我的作业本上面。

徐豆豆**得意**地说:"米小圈,你不是总批评我抄袭你的作业吗?今天你也抄我的了,我也要批评你。"

我哪有时间去理会徐豆豆说些什么呀。时间过得飞快,我写作业的**速度**比飞还快。2分钟我就把数学作业写完了。刚要写语文和英语作业,李黎就走了过来。

李黎喊道:"米小圈,交作业了。"

我把数学作业本递了过去。

李黎问:"怎么只有数学作业?语文和英语作业呢?"

我说:"我还没来得及抄,啊不!还没来得及写呢。"

李黎微笑着对我说："呵呵，那你死定了。"

是的，李黎说得没错。我确实死定了。

英语老师和我最喜欢的莫老师**不约而同**地把我没交作业的事告诉了我们的班主任。

魏老师气坏了，抱着数学作业本来到教室。

"米小圈，你为什么不写作业？"

我赶快低下头，一脸**委屈**地说："老师，我忘记写了。"

魏老师说："我见过不写作业的学生，就没见过三科作业都不写的。"

你没写作业。

求求你们，不要告诉魏老师。

我赶快说："老师，你说得不对，我数学作业还是写了的。"

魏老师找了找数学作业本，发现我还真写了。魏老师**翻开**我的数学作业一看，更生气了。

"对！你是写了，你看看你写对了几道题？你是用脚后跟写的作业吗？"

魏老师把数学作业本扔了过来，直接扔到了我的手里。哇！老师很有打篮球的天赋嘛。

我打开作业本一看，差点儿就哭了。20 道数学题，我才对了两道。徐豆豆，你数学可真够烂的，你是用脚后跟写的作业吗？

魏老师继续批评道："米小圈，你上学期进步很快，考了全班第三名。我让徐豆豆跟你一桌，就是**希望**你在学习上帮助她一下。你现在倒好，跟她一个水平了。"

魏老师啊，怎么可能不是一个水平呢？我的作业完

全就是照抄她的。

我一看旁边的徐豆豆，她正捂着嘴，差点儿就笑背过气去。

我真想告诉魏老师，其实我根本没退步，这些题都是徐豆豆用脚后跟做的。

但我绝对不能这么说。我学习成绩差，顶多被老师批评不努力。我要是承认抄作业，魏老师就会大发雷霆的，说不定还会找家长呢！

我违心地说："老师，这次我没认真写作业，下次我

一定努力。"

魏老师消了消气，说："好吧，把今天的作业认认真真地写一遍，明天交给我。下次再不写作业，我就告诉你妈妈。"

"老师，我一定努力，千万千万不要告诉我妈妈。"

魏老师还是很仁慈的，这一次饶过了我。

纸包不住火

6月9日   星期四

　　昨天的事发生后，我就再也不敢不写作业了。幸好魏老师比较仁慈，没有把这件事告诉我爸妈，否则我加入足球队的事就**露馅儿**了。

　　一天的学习时光就这样**结束**了，我赶紧穿上队服，向足球场跑去。

　　肌肉老师正在带领队员们跑圈。我跟在队伍后面，跑了起来。

　　我发现，踢足球根本没我想象中好玩。不就是把球踢进球门吗？干吗还要跑圈呀！再说跑圈有用的话，那拉磨的驴子岂不是也能踢足球了？

　　大家跑完了10圈，又做了一些热身运动后，肌肉老师宣布开始分组**对抗练习**。

　　肌肉老师指着我说："米小圈，你去那边单独练习。"

我要当
足球明星。

把足球还给我。

"什么？又要单独练习？"我提出抗议。

结果抗议无效，谁让肌肉老师是教练呢。

我**抱怨**道："刘老师，我真的很想射门呀！"

肌肉老师说："米小圈，饭要一口一口吃，这足球也要一点儿一点儿练。"

我问道："可你不是说过我是足球天才吗？"

肌肉老师说："没错！米小圈，你知道什么是天才吗？"

我回答："天才不是天生就很厉害，很会踢足球的人吗？"

肌肉老师不同意我的观点："错了，天才就是比常人更**勤奋**更辛苦，才能成为天才。我一直以天才的标准来要求你，所以……"肌肉老师一脚把足球踢出场外，"所以，你去把球运回来。"

呜呜，那我宁愿不当天才。我又跑到场外，把足球一点点运了回来。

我求着肌肉老师："刘老师，我能不能不像小狗捡骨头一样运球啊？求你了，教我点儿新东西吧！"

肌肉老师说："那好吧，今天就教你一个**新花样**。"

我立刻兴奋起来："什么新花样？"

"**颠球**！"

"颠球？"

"没错，颠球是熟悉球性的重要方法。"

我当是什么高深的练习呢，不就是用脚尖踢球吗？

跟踢毽子有什么区别呀？

　　肌肉老师开始为我**示范**，用脚一下又一下地把足球踢到半空中。

　　肌肉老师边踢边说："米小圈，你什么时候能够连续踢100下，我就让你参加正式的足球训练。"

　　这有何难呀？看我的。我像踢毽子一样踢起了足球。可是我才连续踢了5下，足球就掉在了地上。看来踢足球比踢毽子难多了。

　　肌肉老师**得意**地说："很多事情总是说起来容易做起来难。你慢慢踢吧，我去那边看看。"

　　肌肉老师走了，我认真地练了起来。我一定要连续踢100下，这样就可以在球场上踢球了。

　　我练，我练，我练练练。最开始我只能连续踢5下，练了一会儿，我已经可以连续踢30下了。我要再努力一点儿才行。

努力！努力！哇，这次我连续踢了 80 下。就在这时，我听见一个**熟悉**的声音："米小圈，你太不听话了！"

我回头一看，是老妈。不好！我放下足球，撒腿就跑。呜呜，今晚死定了。

看来这跑圈没有白练呀。

米小圈，你居然说谎！太让我失望了。

坏事成好事

6月10日 星期五

昨天的颠球训练，要不是老妈的突然出现，说不定我就成功了。

结果我被老妈拽回家，批评了一晚上。我的脑袋都快被批评炸了。

对了，老妈是怎么发现我加入足球队的呢？一定有人告密。

老爸说："还用别人告密吗？你的臭脚就已经暴露了。哪有小孩儿的脚比大人的脚还臭的道理。"

那也不可能啊，老爸哪有这么聪明。

经过我的推理，你的脚这么臭是因为你踢了足球。

吃完晚饭，老妈又开始批评道："米小圈，说！你以后还说不说谎了？"

我委屈地说："老妈，我也不想说谎啊，我就是很想踢足球嘛，可你又不让我踢。"

老妈说："米小圈，踢足球是一回事，说谎是另外一回事。"

老爸朝我挤了挤眼睛："米小圈，快向你妈妈承认错误。"

我赶快承认错误："老妈，我再也不说谎了，可是我真的很想踢足球。"

老爸帮我说道："老婆，米小圈踢足球也不是什么坏事，你就让他踢吧。"

老妈说："唉，看来是我太**严厉**了。米小圈，我宁可你去踢足球也不希望你说谎。"

"老妈，你说什么？你同意我去踢足球了？"

"我没说啊。"

"我明明听你说……"

老妈说："既然你想踢足球就踢吧。"

哇！想不到老妈居然同意我踢足球了。

"但是，学生还是要把学习放在第一位，足球作为**业余爱好**。"

"绝对没问题。只要让我踢足球，怎么样都行呀。"

"那你还不赶快去写作业。"

"是！"

我高高兴兴地跑回自己的房间。太好了，以后都不用**藏着掖着**了。

今天上学的时候，大牛向我承认了错误。

"小圈哥，我昨天做了对不起你的事，我把你加入足球队的事说漏了。"

"什么？原来是你告的密！"想不到大牛会出卖我。

大牛解释道："小圈哥，我不是故意的。昨天大姨来我家问我，如果一个小孩儿每天放学脚都很臭，这说明什么？我说他一定参加了运动，例如：足球。"

大牛，你这小子，谁说脚臭就一定是踢足球了，也有可能是打篮球呀。

"是呀，我说漏嘴了。小圈哥，对不起，这盒巧克力送给你，你不要不理我。"

嗯，看在巧克力的份儿上，我原谅了大牛。

一天的学习时光又过去了。我赶紧跑向足球场，这是我一天中最快乐的**时光**。可是当我来到足球场，却一名球员都没看见。真是太奇怪了！

我在办公室找到了肌肉老师。

我问道："肌肉老师，今天怎么没有人训练呢？"

肌肉老师突然拍着自己的脑袋说："哎呀，对了！我忘记告诉你了。今天我们不训练了，大家休息一下。"

呜呜，肌肉老师，你也太不重视我这个天才球员了吧。所有人都通知了，就把我忘记了？

肌肉老师**不好意思**地说："米小圈，老师下次一定第一个通知你。对了，你今天回家好好休息，明天下午，我们要和春华小学的队员来一场练习赛。"

"啊？明天有比赛？"

"是啊，快回家休息去吧。"

哇！太棒了。我明天一定要在大家面前露一手，啊不！是露一脚。

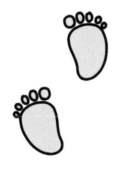

我要放弃

6月11日 星期六

今天我早早就起床了，开始准备下午的比赛。我吃了很多的零食，这样才有劲踢球嘛。

老爸问："米小圈，吃洋葱圈就能有劲踢球了？"

我回答："不能，不过我还吃了一盒薯片呢，加起来就会有劲了。"

老爸才不信我的鬼话呢，他坚定地认为我就是在给嘴馋找借口。

我接着说："对了，老爸，我们今天要去春华小学比赛，你能不能陪我一起去，当我的啦啦队员呀？"

老爸说："这可不行，我们单位今天有个很重要的会议，我得去汇报工作。"

"老爸，求你了。我好不容易才参加一次比赛，你就陪我去吧。"

老爸把头摇得像**拨浪鼓**一样："不行，不行，绝对不行。米小圈，我今天要是看你踢足球，我老板就得把我当球踢了。"

老爸不行，我只好请求老妈陪我去。

老妈说："米小圈，我今天要洗衣服、拖地、擦玻璃、

老板，我想去看我儿子踢足球。

我看你就像个足球。

老板

107

做饭。如果你帮我做这些，我就陪你去。"

"那算了，我还是自己去吧。"

唉，真扫兴，我只好叫上姜小牙、铁头，还有我的表弟大牛，一起来帮我**助威**。

我们几个小孩儿来到了春华小学。哇！这春华小学比我们秋实小学气派多了。

双方的球员都到齐了，正在做赛前热身。

肌肉老师拿着上场名单，念道："上场的球员是刘野、张扬、徐春雷……"

呜呜，到最后也没念我的名字。

我赶快对肌肉老师说："老师，我也想上场比赛。"

肌肉老师说："米小圈，你还不到时候。"

队长刘野走到我面前，笑着说："小个子，你什么时候长得跟我一样高，你就可以上场比赛了。"

哼！这个家伙真讨厌，谁说个子小就不能踢球啊。想当年我还赢过他呢。

我们队的中场球员张扬说："呵呵，还有一种情况，你可以上场。"

"什么情况？"

"就是我们队的人全受伤了，你就可以上场了。"

队长刘野批评道："快比赛了，你就不能说点儿**吉利话**吗？"

张扬低下头："我错了，队长。"

裁判吹响了比赛的哨声，呜呜，我也想比赛。

姜小牙走过来，大笑着说："米小圈，你不是跟我说你是球队里的**绝对核心**吗？"

铁头安慰道："米小圈这么难过，你就别挖苦他了。"

我觉得，还是铁头最好。

铁头接着说："米小圈，你也别踢球了，咱们去**跳皮筋**吧。"

铁头，走开！

大牛指着球场喊道："哇！进球了，进球了！"

这么快？我们几个小孩儿赶紧欢呼起来。

肌肉老师走过来，批评道："米小圈，你在给谁加油呢？"

我仔细一看，哦，原来是对方球员进的球。切！刘野就是能吹牛，高年级有什么了不起啊，还不是被人家踢成了 1 比 0。

上半场结束了，我们队一个球都没进。

队长刘野气呼呼地回来了："米小圈，拿水来。"

我赶忙搬了一箱**矿泉水**，发给上场踢球的队员。肌肉老师重新给大家布置了一套战术。

下半场比赛开始了！我没有什么事可做，只好和姜小牙他们当起了啦啦队。

"秋实小学加油！秋实小学加油！"

正在这时，队长刘野晃倒了一名球员，大脚射门，哇！球进了。我们秋实小学把比分扳了回来。1 比 1 打平。

不对！晃倒的不是对方球员，是我们队的张扬。比

赛**暂停**，张扬被同学们搀了回来，他的腿抽筋了。

呵呵呵呵……张扬，你说的话真是不吉利呀，你看，受伤了吧！

肌肉老师指着我，说："米小圈，你替张扬上场。"

"啊？什么？"

肌肉老师喊道："还愣着干什么，上场踢球去。"

"是！"幸福来得实在是太突然了，我都不敢相信自己的耳朵。肌肉老师居然真的派我上场了，我一定要好好**表现**才行。

春华小学的队员真的好壮呀，我刚刚接到球，就被

你真是一个说到做到的好少年，果然受伤了。

米小圈，你给我走开。

他们撞到了一边，把球抢了过去。

气得肌肉老师在场边大喊："米小圈，去把球给我抢回来。"

我赶快跑，不停地跑，飞快地向对方球员冲去。我向球踢去，哇！球被抢下来了。

这时，对方球员倒在地上，捂着自己的脚，发出痛苦的嘶喊声。

裁判的哨声也响了起来，"20 号，踢人犯规，红牌罚下。"

哎呀！好疼呀。

我真的不是故意的。

红牌罚下。

裁判掏出了一张红牌，指了指我。呜呜，我被罚出场去。

我被红牌罚下，对方还获得一次发点球的机会，对方球员一脚把球踢了进去。2比1，我们输掉了比赛。

队长刘野走过来**挖苦**道："米小圈，你表现得真不错。春华小学赢球全是你的功劳。"

我一个人默默离开了球场。

我觉得我真的不是什么足球天才，足球蠢材还差不多。我不踢了，以后我再也不踢球了。

同学们，请问谁知道什么是天才？

有人会说：书上说**智商**超过140的就是天才；也有人会说：我们班考第一名的就是天才；还有人会说：我们班唱歌最好的就是天才。

其实大家说的这些并不是天才，而是天赋。很多有天赋的人最终并没有成为天才。

你可能会问，那谁是天才呢？

北猫叔叔要告诉你，你去照一下镜子，你看到的那个人就是天才。好吧，不用去照镜子了，我说的就是你。没错！你就是天才。

你已经开始**怀疑**了。北猫叔叔你从哪里看出我是天才了？我自已怎么没看出来？

别着急，北猫叔叔要告诉你，天才是怎样炼成的。

首先，我要教你一个成为天才的公式。

天才＝天赋 × 坚持

由这个公式我们可以知道，天才首先要有天赋。你可能会问，我的天赋是什么呢？

其实呀，你的天赋就藏在你的**兴趣**里。

我相信，每一个人都会有自己特别感兴趣的事。例如：喜欢踢足球，喜欢画画，或者喜欢看《米小圈上学记》。

你甚至可以把自己所有喜欢的事写在一张纸上，然后找出哪一件事你可以很**轻松**就比别人做得好。

米小圈发现，自己学习不如车驰，唱歌不如姜小牙，画画不如李黎，讲笑话不如何伟，但踢足球很厉害，比班级里的同学都强。

米小圈已经找到了自己的过人之处，那就是踢足球。聪明的你也已经找到了吧？

不过别高兴得太早，光有天赋是成不了天才的，别忘了公式里还有一个重要因素就是**坚持**。

你坚持得越久就越容易成为天才。

说到这里，我真的为米小圈捏把汗，因为一次比赛失利，米小圈就想放弃自己的天赋了，这样怎么可能成为天才呢？

什么叫天才

6 月 13 日　星期一

　　因为我的**失误**，我们输给了春华小学。肌肉老师虽然没怪我，但这确实是我的错。

　　我觉得我真不是踢足球的材料，更不是肌肉老师所说的足球天才。

足球蠢材。

　　这个周末我认真想了想，决定退出学校足球队。我低着头来到肌肉老师的办公室。

　　"刘老师，对不起。"

　　肌肉老师似乎已经把**输球**的事忘了："米小圈，怎么了？"

　　"都是我不好，要不是我就不会输掉比赛。"

　　"呵呵，米小圈，你见过哪个足球队没输过比赛，况且这只是一场练习赛而已。"

　　我说："老师，我已经考虑清楚了，我要退出球队，

我不想踢足球了，我不是什么足球天才。"

肌肉老师看了看我，收起了笑容："好吧，你把队服脱下来，放在椅子上就可以走了。"

我本以为肌肉老师会**挽留**我一下，可他居然这么干脆就同意我退出了。他口口声声说我是足球天才，我看我在他眼里是无名小卒才对。

我脱掉了队服，转身离开办公室。

肌肉老师在我背后说道："天才是永远不会放弃的。"

我转过头，问道："刘老师，你说什么？"

肌肉老师反问我："米小圈，你知道什么是天才吗？"

"天才不就是具有**极高天赋**的人吗？"

"错！大错特错。"肌肉老师不同意我的说法，"天才就是不管别人怎样摧毁他，打击他，都不会放弃自己的追求，并且把自己的天赋发挥到极致的人。"

肌肉老师越说我越糊涂。

肌肉老师接着说："你应该听过贝多芬的故事吧。贝多芬聋了以后，依然坚持创作音乐。比起来，一次小小

的失误你就要放弃了吗？"

我好像明白肌肉老师的话了。

肌肉老师拿了一张照片给我。

上面是肌肉老师和一名只有一条腿的男人。

肌肉老师说："这名残疾人是我曾经的队长，由于一次车祸他的一条腿被截肢了。但他依然没有放弃足球，终于获得了全国残疾人足球赛的冠军。他就是我心中的天才。"

我**惭愧**地低下了头。

"米小圈，回去吧。天才还是蠢材，你自己选择。"

天才米小圈

6 月 15 日　星期三

　　这几天，我的心情一直都不好。因为我的失误，我们学校输掉了比赛。队长刘野他们肯定在怨我。可是要是让我放弃足球，我又有点儿**舍不得**。唉，该怎么办呢？

我也想踢足球。

你还是加入春华小学足球队吧。

老爸拿着一个鞋盒子走了过来："米小圈，你打开看看。"

我打开一看，哇！是一双崭新的球鞋，好漂亮呀。

老妈也走过来说："米小圈，听说你输掉了比赛。不要灰心，穿上这双新球鞋，下次一定能把比赛赢回来。"

"老妈，你不是不愿意我踢足球吗？"

老妈说："我虽然不愿意你踢足球，但我更不愿意我的儿子放弃自己的理想。你们体育老师说得对，天才从不会**轻易**放弃。"

123

老爸说："米小圈，你知道吗？为了给你买这双名牌球鞋,你老妈这个月都不让我抽烟了。所以你得好好踢球。"

太好了！老爸终于**戒烟**成功了。

放学后，我穿着新球鞋来到足球场。

刘野和张扬一看见我来了，便走过来挖苦我。

张扬指着我说："快看,我们的足球天才米小圈来了。"

刘野批评道："你说什么呢？这是春华小学的天才球员，不是我们队的。"

"呵呵呵呵，没错。"其他球员笑了起来。

哼！肌肉老师说过，天才是不会因为别人说了几句就放弃的。我听不见，我听不见。

这时，肌肉老师走了过来："米小圈，你没有放弃这很好，说明我没有看错人，你确实是天才球员。"

想不到肌肉老师也来挖苦我，有我这样的天才球员吗？

肌肉老师吹响哨子，喊道："开始跑圈。"

大家绕着足球场跑了 10 圈，我喘着粗气刚要歇一歇，就听见肌肉老师喊道："米小圈，再跑 10 圈。"

我明白了，肌肉老师表面说输了球不生气，心里一定**记恨**我，故意罚我多跑 10 圈。

我又跑了 10 圈，差点儿累死在球场上。

肌肉老师走过来说："米小圈，你知道我为什么让你比别人多跑 10 圈吗？"

我说："你一定是在**惩罚**我。"

肌肉老师哈哈大笑："哈哈，我有那么小气吗？"

"那是因为什么？"

"你只有比别人付出更多，才能**收获**更多。下周末，我们要和春华小学来一场正式的比赛。到时候我会派你出场，你可不要让我失望哦。"

"啊？真的？"

"所以这段时间你要格外地努力才行。"

一雪前耻的机会终于来了，我一定要努力。

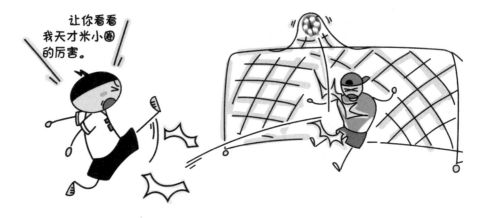

让你看看我天才米小圈的厉害。

练出一个天才

6月16日～7月1日

我就是天才
球员米小圈。

黄金一脚

7月2日 星期六

　　魔鬼般的足球集训终于结束了，今天就是我们秋实小学与春华小学决战的日子了。

　　这半个月可把我累惨了。不过值得高兴的是我的球技进步很快。肌肉老师说得没错，付出才会有**收获**嘛。

　　上一次比赛是在春华小学举行的，而这一次要在我们秋实小学的足球场举行。

　　我正在做着热身运动，这时一只手拍在我的肩膀上。我回头一看，呀！是校长大人。

　　我赶快问道："校长，您出院了？"

校长微笑着说："还没有呢，不过已经好得差不多了，医生说我再检查一次就可以出院了。"

"那您怎么不在医院里好好养病？"

"今天有我好朋友米小圈的比赛，我怎么能不来看看呢？"

"好朋友？嘻嘻。"原来校长把我当成**好朋友**了。

这时，肌肉老师走了过来，喊道："队员们，这次是我们的主场，我们一定要努力踢球，绝不能输给春华小学。"

校长大人都来了，我们球队要是输了比赛，肌肉老师是不是太没面子了。

总是输球，我看你不要当教练了，去扫厕所！

校长，我错了，下次我一定赢球。

129

比赛就要开始了，肌肉老师宣布出场球员的名单：
"上场的球员是刘野、张扬、徐春雷、米小圈……"

"什么？米小圈？"想不到这次肌肉老师派我首发出场。哈哈，这么说，我米小圈现在已经是主力球员啦。

裁判吹响了比赛的**哨声**。双方球员登场，对方球员先发球，球传到了对方球员脚下，我用脚一铲把足球铲了下来，张扬接到球，向对方球门发起了猛攻。

可是对方的守门员好厉害，我们秋实小学的好几次射门都被他扑了出来。

好厉害呀!

上半场很快就结束了,双方互交白卷,谁都没有进球,0比0战平。

中场休息的时候,有人递给我一瓶水。我一看,原来是老爸,不!还有老妈也来了。

老妈夸奖道:"米小圈,上半场踢得不错,特别是那个**铲球**,很漂亮。"

这是老妈第一次夸我球踢得好,下半场我要更加努力才行。

下半场比赛开始了。我方发球,不好!球被对方球

员抢走了。这时，队长刘野冲了过来，一脚把球从对方球员脚下踢了出去，但是踢大了，球马上就要飞出球场了。

这时，我想起了肌肉老师训练我时用的小狗捡球法。我拼命向球跑去，在足球出界的一瞬间把球救了回来。刘野赶快向球门跑去，向我挥了挥手，我用力一脚把球踢向刘野。

不好！球踢高了，刘野跳起来，用脑袋把球顶进了球门。

哇，球进了！刘野太帅了，居然头球破门，1比0。

刘野跑过来，和我击掌庆祝："小个子，好样的。"

哈哈，刘野，你终于知道我小个子的厉害了吧。

我们正高兴时，对方球员已经开始发球了。不好！春华小学的队长突破了张扬，我赶快跑过去铲球，不好！我没有铲到球。春华小学的队长一脚射门，呜呜，球进了。比分被扳成了1比1。

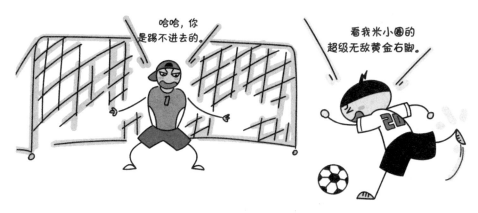

我一看时间，就剩3分钟了。

开始发球！张扬把球传给了我，我又把球传给了刘野，刘野运球晃过了对方的防守球员。射门！球……呜呜，球被对方门将扑了出来，正好飞到了我的脚下。

没时间了，我也顾不了那么多了，一脚怒射把足球向球门踢去。

突然，大家欢呼起来。我仔细一看，哇，球进了！同时，裁判吹响了比赛结束的哨声。2比1，我们秋实小学获胜了。

老爸大喊道："哈哈，那个进球的是我的儿子。"

全场**沸腾**起来。同学们跑了过来，把我抬起来，扔到空中。

队长刘野走过来，说："小个子，这场踢得不错，可不要骄傲哦。"

队长刘野脱下自己的球衣。

刘野把球衣递给我，说："米小圈，下学期我就要上中学了，这件球衣送给你，以后 10 号球衣就是你的了。"

说完他离开了球场。

134

虽然我和刘野总是吵吵闹闹，但其实他才是我心中的天才。他训练时总是非常刻苦，每次都是第一个来到球场，最后一个走。

我米小圈也要像他一样，成为一名天才。

发散出来的新魔法

北猫叔叔

同学们，你们知道什么是发散思维吗？发散思维就是以某一问题为中心，沿着不同方向、不同角度向外扩散的一种思维方法。

你可能会觉得很高深，根本听不懂。没错！北猫叔叔把自己都说晕了。

我再问大家一个问题，你家里有台灯吗？大家肯定都会说有。那么看见台灯你会想到什么？台灯可以照明，让你想到了爱迪生发明灯泡；晚上写作业的时候需要台灯，让你想到有一天老师留了很多作业，你写到深夜才睡觉。

——对！这就是传说中的发散思维，就一个事物，从不同角度去想象出一些新的东西。

现在，北猫叔叔就要教大家这个关于发散思维的魔法了。大家要认真听，因为这个魔法会让你变得更有创造力，受用一辈子。

北猫叔叔刚刚写小说的时候，一点儿创造力都没有，似乎一个故事都想不到。《米小圈上学记》中有 300 个故事，我到底该怎么写呢？

通过看书我发现，原来发散思维可以锻炼创造力，于是我开始刻苦练习。经过一段时间的练习，我可以毫不吹牛地说，北猫叔叔看见任何一件事物都可以把他写成一篇《米小圈上学记》。

什么？你不信？那么我们就来试试。

北猫叔叔看见了足球，想到了米小圈加入学校足球队，写出了《加油！足球小将》；又看见了自行车，让我想到了爷爷为了给米小圈买自行车去捡饮料瓶子，写出了《小顽皮和老顽童》；有一天和表哥一起吃饭，让我想到了从小我就是表哥的跟屁虫，于是写出了《我有一个跟屁虫》。

这回你总信了吧。

北猫叔叔的这个魔法已经传授给你了，你是否学会了呢？下面北猫叔叔要考一考你了。

要求：以"文具盒"为中心，展开你的想象力，发散出五个故事来。把故事内容填写到下面的空格中。

故事一：_____

_____

_____

故事二：_____

_____

_____

故事三：_____

_____

_____

_____

故事四：_____

_____

_____

_____

故事五：_____

_____

_____

_____

　　怎么样？同学们，是不是很轻松就发散出了五个故事呢？只要把这些故事加工一下，就可以变成很好的作文了。

北猫叔叔也给米小圈出了同样的题，可是他才联想出三个来。你可比他聪明多了。

　　米小圈的故事一：哇！我的文具盒原来是一部电话，而且是一部可以和外星人交流的电话。通过与外星人交流，我得知他们要入侵地球，我得赶快阻止他们才行。

　　米小圈的故事二：文具盒里面有一支铅笔，让我联想到了树木。一个人一辈子用的铅笔就等于砍掉无数棵树。这让我联想到了低碳环保。对了，我可以写一篇跟爸爸去植树的作文呀。这星期的作文不用愁喽！

　　米小圈的故事三：文具盒里面的橡皮，让我联想到了做错的数学题，又让我联想到了我曾经做错的事。如何用橡皮把我做错的事抹去，不留一点儿痕迹呢？不再犯同样的错误就是最好的橡皮。这会不会是一篇很好的作文呢？下星期的

作文也不用愁喽！

　　同学们，你们明白了吗？这就是发散思维，通过一件事，想到更多的事。其实好作文无处不在，也不用绞尽脑汁去想，只需要你用发散思维的方式去想象，作文就能很轻松地写出来了。

图书在版编目（CIP）数据

加油！足球小将 / 北猫著；常耕绘. 一成都：四川少
年儿童出版社，2018.1（2018.9 重印）
（米小圈上学记）
ISBN 978-7-5365-8780-9

Ⅰ．①加… Ⅱ．①北… ②常… Ⅲ．①儿童故事—作
品集—中国—当代 Ⅳ．①I287.5

中国版本图书馆 CIP 数据核字（2018）第 008720 号

出 版 人　常　青

策　　划　明　琴　黄　政
责任编辑　明　琴　黄　政
封面设计　米　央
插　　图　常　耕
书籍设计　李　煜
责任校对　杨　非
责任印制　袁学团

JIAYOU ZUQIU XIAOJIANG

书　　名	**加油！足球小将**
作　　者	北猫
出　　版	四川少年儿童出版社
地　　址	成都市槐树街 2 号
网　　址	http://www.sccph.com.cn
网　　店	http://scsnetcbs.tmall.com
经　　销	新华书店
图文制作	喜唐平面设计工作室
印　　刷	成都勤德印务有限公司
成品尺寸	210mm × 180mm
开　　本	24
印　　张	6.5
字　　数	130 千
版　　次	2018 年 3 月第 2 版
印　　次	2018 年 9 月第 32 次印刷
书　　号	ISBN 978-7-5365-8780-9
定　　价	25.00 元

《加油！足球小将》读后感

年级　　班　　姓名

年　　月　　日

小朋友们，想把发生在你身边的趣事告诉北猫叔叔吗？
快快拿起手机，给他发送微信吧！等你哟！

找 到北猫叔叔

听 "米小圈"广播剧

获 得米小圈定制文具

抽 奖得北猫叔叔签名书

快来扫一扫吧！